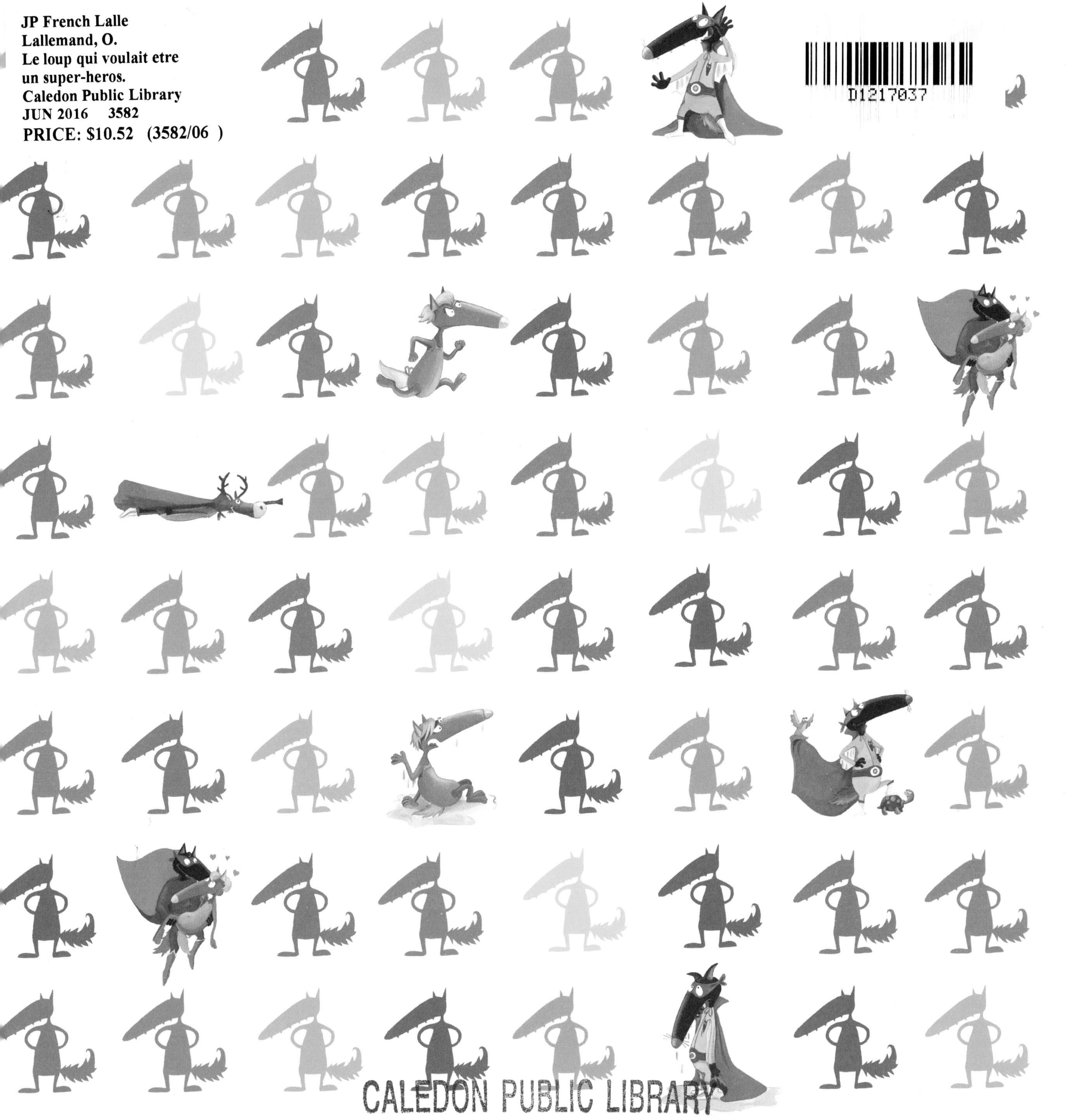

À cœur vaillant, rien d'impossible.
OL

À Batman.
ET

Le loup
qui voulait être un super-héros

Texte de Orianne Lallemand
Illustrations de Éléonore Thuillier

Un matin, en se regardant dans son miroir, Loup eut une idée.
Et s'il devenait un super-héros ?
« Ce serait fantastique ! s'écria Loup. J'aurais un joli costume,
je sauverais les gens et tout le monde m'adorerait ! »

Au fond de lui, Loup se disait aussi que sa Louve chérie serait très fière de lui.

Pour devenir un super-héros,
il faut un super-nom.

« Comment vais-je m'appeler ?
Spiderloup ? Non, je déteste
les araignées. Batloup ?
Superloup ? Trop banal.

Je sais ! Moi, je serai
SUPER-EXTRA-FABULOUP ! »

Pour devenir un super-héros,
il faut un super-costume.
Loup alla frapper chez Demoiselle Yéti, c'était une couturière hors pair.

« Bonjour Titi, la salua Loup. Peux-tu me fabriquer un costume de super-héros, s'il te plaît ?
– Toi ? Un super-héros ? le taquina Demoiselle Yéti. Et quels sont tes super-pouvoirs ? »

Loup réfléchit un moment, puis il répondit :
« Je ferai tellement rire les méchants qu'ils ne pourront plus se battre. Et je les vaincrai facilement. »

Demoiselle Yéti rigola
si fort que la maison
manqua s'écrouler.
Un peu inquiet, Loup se dit
qu'il devait apprendre
à contrôler son super-pouvoir
pour ne mettre personne
en danger.

Tout en pleurant de rire, Demoiselle Yéti confectionna à Loup
un costume super-époustouflant. Avec des ailes intégrées,
au cas où il aurait besoin de voler.
« Avec toi, on ne sait jamais ! » dit-elle.

Avec son masque et sa cape assortis,
Loup était vraiment super-beau.

9

Ainsi habillé, Loup partit
se promener dans la forêt.
Il avait hâte de voir l'effet
qu'il ferait.
Passé le premier virage,
il se trouva nez à nez
avec Gros-Louis.

« Salut Loup, fit son ami.
C'est carnaval aujourd'hui ?
– Vous faites erreur, Monsieur,
répondit Loup d'une voix grave,
je m'appelle Super-Extra-Fabuloup
et je suis un super-héros.

11

– Oh, pardonnez-moi ! s'exclama Gros-Louis.

Mais alors, si vous êtes un super-héros, vous devez être super-fort ?

– En effet, répondit Loup en bombant le torse.

– Dans ce cas, pourriez-vous m'aider à ranger ce tas de bois ?

Je suis un peu faible, vous savez… »

Loup trouva que
Gros-Louis exagérait,
mais il accomplit
cette première mission
avec succès.

Pour être un super-héros,
il faut quelqu'un à sauver.

Sur son chemin,
Loup aida deux
escargots à traverser

et il rendit à ses parents
un oisillon tombé du nid.

« Tout ceci est bien gentil, se dit Loup, mais il est temps de trouver une mission digne de moi. »

C'est à cet instant précis qu'il entendit des cris...

Sans perdre un instant, Loup fonça entre les arbres et déboucha près de la rivière. Louve et ses amies jouaient à la balle dans l'eau. « À moi ! À moi ! » criait Louve.

Ni une ni deux, Loup plongea et traîna sa Louve chérie
jusqu'au rivage.

« Qu'est-ce qui te prend, Loup ? hurla-t-elle en recrachant de l'eau.
On s'amusait, c'est tout !

– Heu, désolé, fit Loup, je pensais que tu te noyais... »

Mortifié, Loup s'éclipsa rapidement. **GLOUPS !** Ce n'était pas comme cela que Louve allait être épatée… Il devait se rattraper et faire un coup d'éclat ! Oui, mais quoi ?

Levant les yeux vers le ciel, Loup aperçut alors Joshua. Le pauvre ! Il était coincé tout en haut d'un arbre.

« Tiens bon, Joshua, j'arrive ! » lui cria Loup.

Loup s'élança à l'assaut de l'arbre… qui plia… et **PATATRAS !** Les deux amis basculèrent dans le vide. Loup réussit à déplier ses ailes… un peu trop tard malheureusement !

« Qu'est-ce qui t'a pris, Loup ? soupira Joshua. À cause de toi,
ma nouvelle paire de jumelles est cassée.
– J'ai cru que tu étais en danger, je voulais te sauver, expliqua
Loup. Je suis Super-Extra-Fabuloup !
– Super-Reloup, tu veux dire ! » ronchonna Joshua.

Museau bas, Loup se traîna jusqu'à la rivière. Il en avait assez de jouer les super-héros. C'était un vrai fiasco...
Près de l'eau, la barque de Gros-Louis se balançait doucement.
Loup se glissa à l'intérieur et il s'endormit aussitôt.

Bien mal lui en prit !
Pendant qu'il dormait, le vent se leva
et entraîna le petit bateau
mal attaché dans le courant...

Loup fut réveillé en sursaut : prise de folie, la barque tournoyait dans tous les sens. **OUH LA !** Il était dans un sacré pétrin, cette fois ! Sur la rive, ses amis, paniqués, l'appelaient.

« Misère, il n'a pas
de rames, se désola
Louve. Et il y a
une chute d'eau
juste après ce
bouquet d'arbres,
il va se noyer...
Il faut l'aider !

– Comment ? fit Valentin.
Il est bien trop loin. »

Mais déjà Louve
s'était élancée.

Rapide comme l'éclair, Louve fila le long
de la rive. Avec agilité, elle escalada un arbre
et attendit que l'embarcation passe au-dessous.
Elle se laissa tomber et atterrit sur Loup.

« Mais que fais-tu ici ? cria Loup, ébahi.
– Je viens te sauver, voyons ! hurla Louve.
Allez ! Ramons chacun d'un côté ! »

De toute la force de leurs pattes, les deux loups se mirent à ramer et peu à peu, la barque se rapprocha de la rive. Quand ils furent assez près, Valentin se précipita pour les aider à accoster.
OUF ! Ils étaient sains et saufs.

Tout penaud, Loup prit la patte de Louve.
« Merci Louve, tu m'as sauvé, murmura-t-il. Moi qui voulais être ton super-héros, c'est raté...

– Tu es mon héros à moi, c'est déjà bien assez, répondit Louve.
Et je t'aime comme tu es, avec tes défauts et toutes tes qualités ! »

Direction générale : Gauthier Auzou
Responsable éditoriale : Agathe Lème-Michau
Éditrice : Marjorie Demaria
Responsable fabrication : Jean-Christophe Collett
Fabrication : Lucile Pierret
Conception graphique : Anne Jolly
Correction : Lise Cornacchia

Produit conçu et fabriqué sous système de management de la qualité certifié
AFAQ ISO 9001.
www.auzou.fr

 Rejoignez-nous sur Facebook et suivez l'actualité des Éditions Auzou.
www.facebook.com/auzoujeunesse

Mes p'tits albums de Loup

Le loup qui voulait changer de couleur

Le loup qui s'aimait beaucoup trop

Le loup qui cherchait une amoureuse

Le loup qui ne voulait plus marcher

Le loup qui voulait faire le tour du monde

Le loup qui voulait être un artiste

Le loup qui voyageait dans le temps

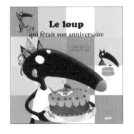
Le loup qui fêtait son anniversaire

Le loup qui découvrait le pays des contes

Le loup qui avait peur de son ombre

Le loup qui enquêtait au musée

Mes grands albums de Loup

Le loup qui voulait changer de couleur

Le loup qui s'aimait beaucoup trop

Le loup qui cherchait une amoureuse

Le loup qui ne voulait plus marcher

Le loup qui voulait faire le tour du monde

Le loup qui voulait être un artiste

Le loup qui voyageait dans le temps

Le loup qui n'aimait pas Noël

Le loup qui fêtait son anniversaire

Le loup qui découvrait le pays des contes

Le loup qui avait peur de son ombre

Le loup qui enquêtait au musée